Casse-têtes stimulants

Steve Ryan

D1622770

éditions
BRAVO!

© 2003 Steve Ryan pour l'édition originale
© 2011 Les Publications Modus Vivendi inc., pour l'édition française
© Kostax (Dreamstime.com) pour l'image de la page couverture

L'édition originale de cet ouvrage est parue chez Sterling Publishing Co., Inc. sous le titre *Sit and Solve Pencil Puzzles*

Publié par les Éditions BRAVO! une division de
LES PUBLICATIONS MODUS VIVENDI INC.
55, rue Jean-Talon Ouest, 2e étage
Montréal (Québec) H2R 2W8
CANADA

www.groupemodus.com

Éditeur : Marc Alain
Éditrice adjointe : Isabelle Jodoin
Traducteur et adaptateur: Gilles Couture
Réviseur : Guy Perrault
Relectrice : Mireille Lévesque

Dépôt légal : Bibliothèque et Archives nationales du Québec, 2011
Dépôt légal : Bibliothèque et Archives Canada, 2011

ISBN 978-2-89670-028-8

Imprimé au Canada

Table des matières

1.

Travail au noir

En noircissant cinq carrés seulement, divisez cette figure en cinq sections de forme et de grandeur identiques.

Indice : Les cinq carrés noircis ont la même forme finale que les quatre autres sections.

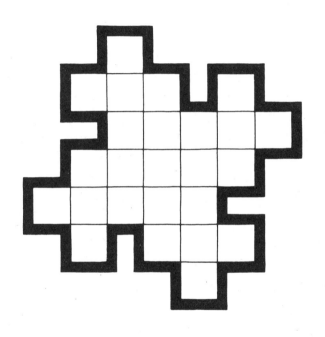

Réponse à la page 114

2.

À travers
les cavernes

Trouvez votre chemin du point « A »
au point « B » en traversant les cinq
cavernes circulaires, sans jamais passer
deux fois par le même chemin.

Réponse à la page 114

7

3.

Étoiles magiques

Inscrivez les chiffres de 1 à 8 dans les étoiles afin d'obtenir un total de 15 pour chaque rangée de trois étoiles.

Réponse à la page 114

9

4.

Mélange de rectangles

Grâce aux indications fournies ci-dessous, inscrivez dans chaque rectangle une lettre de « A » à « J ».

A chevauche D, E
B chevauche E, F
C chevauche D, G, I
D chevauche A, C, F
E chevauche A, B, H
F chevauche B, D, G
G chevauche C, F, J
H chevauche E, I
I chevauche C, H, J
J chevauche G, I

Réponse à la page 114

5.
Mêlée de mots

Cette grille de mots croisés possède la particularité suivante : chacune des 26 lettres de l'alphabet n'apparaît qu'une seule fois. Les cinq lettres déjà fournies, les indices et votre logique vous aideront à résoudre cette grille unique.

Les indices sont :

1 Aperçu
2 Boisson
3 Chiffre
4 Colle
5 Donnez un contour harmonieux
6 Terne
7 Vallée

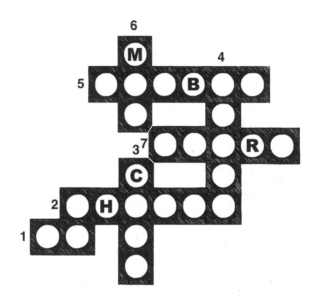

Réponse à la page 115

6.

Dédale de soleils

En partant du soleil avec la flèche, dans le coin inférieur gauche, retrouvez votre chemin jusqu'à celui du coin supérieur droit. Vous devez croiser tous les soleils sans jamais passer deux fois par le même chemin.

Réponse à la page 115

15

7.

Réseau d'autoroute

En partant de la flèche, retrouvez votre chemin dans ce réseau apparenté à un échangeur un peu compliqué d'une autoroute imaginaire. Vous devez rejoindre le cercle gagnant « G », et non pas le cercle perdant « P », en prenant les courbes naturelles comme si vous étiez en automobile.

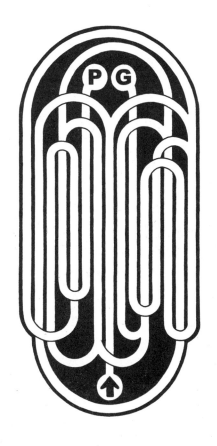

Réponse à la page 115

B.

Cartes de pointage

Ces deux rangées de cartes sur reliure spirale sont numérotées de 1 à 7 et la somme totale de chaque rangée équivaut à 28. Votre objectif est de faire tourner trois cartes du haut vers le bas (chaque verso de carte est blanc) pour que la somme de chacune des deux rangées corresponde à la moitié de la somme de départ.

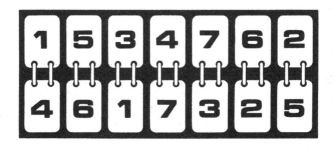

Réponse à la page 115

9.

Suivez la flèche

En partant de l'intersection inférieure, suivez les flèches de façon à croiser toutes les autres intersections, pour finalement revenir à votre point de départ tout en amassant le plus petit nombre de points.

Indice : Le total de points à obtenir est de 48.

Point de départ

Réponse à la page 116

10.

Décision clef

Les clefs numérotées ci-dessous corres-
pondent aux serrures des corridors
dans la grille ci-contre. Votre défi est
de choisir les trois clefs vous permettant
d'ouvrir les serrures des corridors afin
d'aller d'un soleil à l'autre.

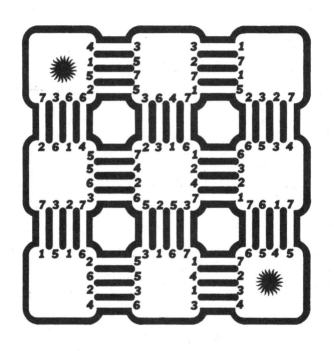

Réponse à la page 116

11.

Restes égaux

Cette énigme a deux solutions fascinantes et complètement différentes. Pour chacune des solutions, noircissez trois carrés différents, pour ensuite diviser les 32 autres carrés en quatre sections de forme identique et de même grosseur.

Réponse à la page 116

12.

Langue fourchue

Ce problème vous offre deux défis :

1- Sans tenir compte des chemins, trouvez le maximum de mots de sept lettres, chaque lettre ne servant qu'une seule fois.

2- À partir du point noir, suivez les chemins et tracez une ligne continue afin de former le maximum de mots de sept lettres. Vous ne pouvez pas passer deux fois par le même chemin ou la même lettre.

Indice : 1 – 5 mots   2 – 2 mots

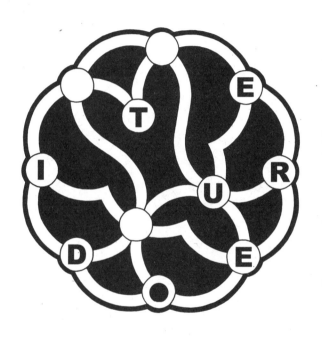

Réponse à la page 116

13.

Étoiles en vedette

En analysant cette figure, on compte 24 étoiles sur le périmètre et 24 autres étoiles à l'intérieur. Combien d'étoiles doit-on ajouter afin que cette situation se répète?

Réponse à la page 116

14.
Code indéchiffrable

Les plus grands savants disent qu'il est impossible de décrypter ce code, mais ne les croyez pas. Il suffit de bien analyser la phrase codée, de réfléchir et de trouver la technique élémentaire de transcription.

KCP DVMAMNL
CGPAIN PS'FH
DQQ
HKMKNMBTCU
CC OCOYZL BC
BMAA

Réponse à la page 117

15.

Ampoules mathématiques

À part le chiffre 10, placez les chiffres de 1 à 19 à l'intérieur des ampoules de la figure ci-contre. Vous devez suivre les critères suivants :

1- chaque paire d'ampoules reliées par un tube doit totaliser 20;

2- chaque groupe de trois ampoules délimité par les lignes blanches doit totaliser 30.

Réponse à la page 117

16.

Volumes cachotiers

Prenez les livres ci-contre et jonglez avec eux afin de bien les mélanger. Maintenant, replacez-les entre les appuie-livres afin de former un nom féminin de six lettres.

Réponse à la page 117

17.

Un « R » étrange

Votre tâche est de croiser les sept points noirs de cette figure qui représente un drôle d' « R ». Aucun corridor ou intersection ne peut être utilisé deux fois. Les points de départ et d'arrivée sont situés dans les deux culs-de-sac.

Réponse à la page 117

18.

Mots emmêlés

En utilisant qu'une seule fois les cent lettres de la grille, découvrez des mots de vocabulaire courant appartenant à un même thème bien connu. Les mots peuvent se lire horizontalement, verticalement, à l'endroit, à l'envers, mais jamais diagonalement. Un mot est déjà inscrit dans la grille.

D	A	T	E	N	I	T	N	E	M
B	A	T	M	I	R	E	C	C	E
R	E	E	A	S	G	E	S	A	L
I	U	G	N	E	N	P	A	N	C
C	O	T	O	R	A	A	N	T	A
E	R	G	M	M	E	P	A	N	L
N	I	C	O	R	F	A	E	A	O
A	T	E	P	A	E	Y	N	A	U
D	R	S	I	I	S	E	F	N	P
E	O	N	O	B	M	A	R	A	B

Réponse à la page 118

19.

Oeufs à la « coq »

Vous devez séparer ces 96 œufs en huit douzaines en traçant seulement sept lignes droites. Chaque douzaine doit contenir deux œufs brisés.

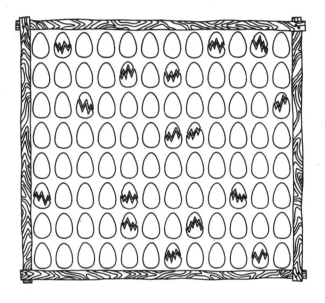

Réponse à la page 118

20.

L' « Enclôturé »

Sans passer deux fois par le même chemin, ni par une même intersection, tracez une ligne continue en croisant le maximum de points noirs. Vous devez aller d'un point troué à l'autre.

Indice : Un seul point noir ne sert pas.

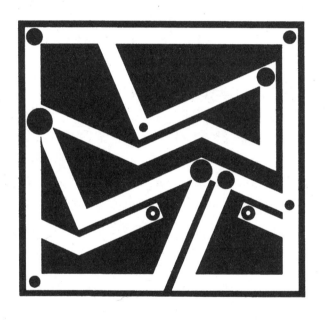

Réponse à la page 118

21.

La Roue Demi-Tour

Vous devez partir du numéro 1 au sommet de la roue et terminer votre parcours sur l'étoile en vous déplaçant selon le nombre d'espaces indiqué et en passant une fois uniquement par tous les chiffres. Seule la première flèche est fournie, vous devez déterminer le sens des flèches subséquentes.

Indice : Reculer.

Réponse à la page 118

22.

Diviser et organiser

À l'aide de deux lignes droites, divisez la surface en quatre sections et organisez les lettres de chaque section afin de former quatre mots liés par le sens.

Indice : mots de 4, 5, 7 et 7 lettres.

Réponse à la page 119

47

23.

Crochets mobiles

Quatre mobiles inhabituels possèdent quatre crochets contenant chacun un cercle blanc. Votre tâche est de colorer chacun des cercles de façon que :

1- chaque mobile supporte un cercle rouge, bleu, vert et jaune;

2- chaque rangée horizontale, verticale et diagonale contienne aussi les quatre couleurs rouge, bleu, vert et jaune. Les couleurs des quatre coins sont déjà inscrites.

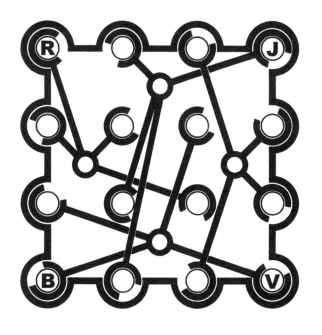

Réponse à la page 119

24.

La dépression 19-30

Voici un carré magique nécessitant seulement deux différents caractères numériques pour être résolu. Placez un de ces deux caractères dans chacun des neuf carrés de façon à obtenir les chiffres 19 ou 30 pour les lignes horizontales, verticales ou diagonales comme il est indiqué. Les chiffres négatifs ne sont pas permis.

Indice : Réfléchissez comme un Romain.

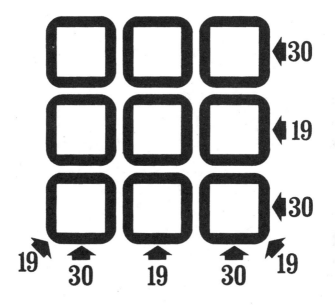

Réponse à la page 119

25.

Deuxième niveau

Regardez attentivement et vous verrez deux grilles entremêlées. En partant des flèches à la gauche, faites votre chemin dans chacune des grilles jusqu'aux flèches respectives à la droite. Le total d'un parcours doit être le double de l'autre. Aucun passage ou chiffre ne peut servir deux fois.

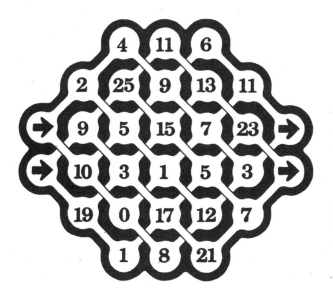

Réponse à la page 119

26.
Hé ! Allume !

Dessinez les têtes d'allumettes man-quantes aux 32 bâtons dans la grille. Vous devez avoir le même nombre de têtes d'allumettes sur chacune des rangées horizontales et verticales.

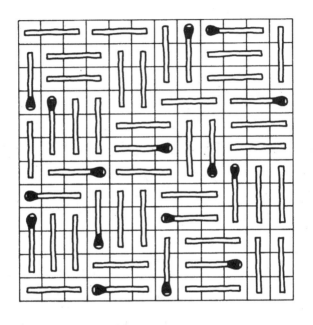

Réponse à la page 120

27.

Fourmidable

Aidez cette fourmi à trouver le seul parcours passant par les sept garde-manger, sans jamais emprunter deux fois le même passage.

Réponse à la page 120

28.

Allez, au Bamboulot

Plusieurs mots peuvent être composés en suivant les branches de bambou de cette figure. Cependant, vous devez trouver deux mots considérés comme ayant un sens opposé. Les deux mots peuvent commencer et se terminer n'importe où, mais aucune lettre ou segment de bambou ne peuvent servir deux fois.

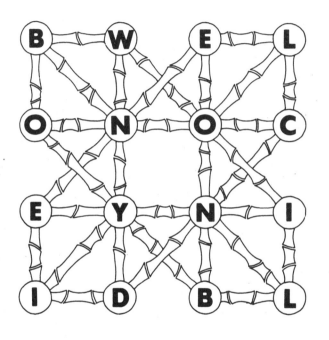

Réponse à la page 120

29.

Points égaux

Trouvez les deux points noirs pouvant être reliés en suivant un parcours composé de la même quantité de chaque chiffre. Exemple : si votre parcours inclut les chiffres 2, 3, 5 et 8, chacun des chiffres doit apparaître le même nombre de fois dans le parcours. Vous devez vous déplacer horizontalement ou verticalement, d'un cercle adjacent à l'autre. Le même cercle ne peut servir deux fois.

Indice : Les deux points à relier sont celui du haut à celui de gauche.

Réponse à la page 120

30.

Visite guidée

En partant du centre de cette figure et en suivant le sens donné par chacune des flèches, traversez les 16 intersections sans jamais repasser par le même endroit.

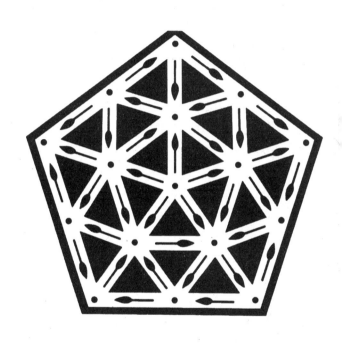

Réponse à la page 121

31.

Blanc et noir

En débutant au point noir central à l'extrême gauche, tracez un chemin passant par les 14 points en alternant les points noirs et les points blancs pour terminer au point blanc central à l'extrême droite.

Réponse à la page 121

32.

Carré parfait

Les chiffres 1, 3, 7 et 18 forment un carré parfait et totalisent 29 points. Pouvez-vous découvrir un autre carré parfait, de n'importe quelle grandeur, totalisant le plus grand nombre possible ?

Indice : le total est de 82.

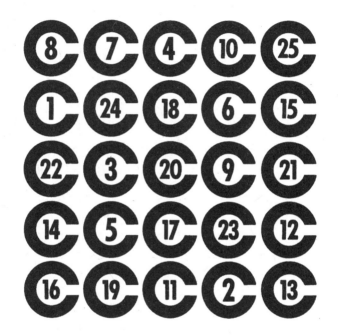

Réponse à la page 121

33.

Pot à lettres

Pour résoudre ce labyrinthe, vous aurez à tracer trois chemins différents : un de A à A, un de B à B et un de C à C. Dans leur ensemble, les trois chemins croiseront les six points noirs, mais aucun d'eux ne croisera le même nombre de points. Vous ne pouvez pas passer deux fois par le même chemin.

Indice : A croise 2 points, B croise 3 points et C croise 1 point.

Réponse à la page 121

34.

Mêlée de mots

Cette grille de mots croisés possède la particularité suivante : chacune des 26 lettres de l'alphabet n'apparaît qu'une seule fois. Les cinq lettres déjà fournies, les indices et votre logique vous aideront à résoudre cette grille unique.

Les indices, mêlés bien sûr, sont :

> Acide mortel
> Bousille
> Clavier non musical
> Fringant
> Publicité
> Sport de combat (pl.)
> Vêtement très long

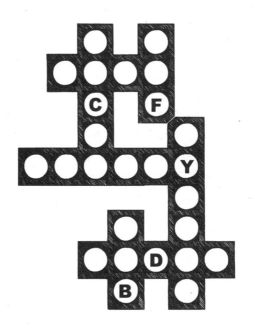

Réponse à la page 122

35.

Anneaux deux

Chaque anneau de cette figure doit passer dans seulement deux autres anneaux. La moitié des intersections (sur ou sous) sont déjà tracées. Votre tâche consiste à dessiner les 13 autres.

Réponse à la page 122

36.

De haut en bas

En entrant par le haut, tracez une ligne continue croisant le maximum d'étoiles possible avant de sortir par le bas. Ne jamais passer deux fois par le même segment ou intersection.

Indice : Il est possible de croiser toutes les étoiles sauf une.

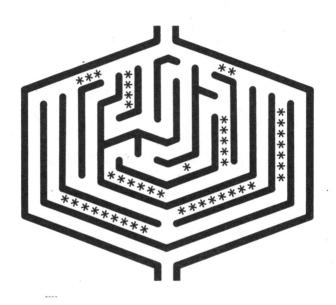

Réponse à la page 122

37.

L'avenue essentielle

Votre défi est de voyager d'un astérisque à l'autre grâce à un nombre pair de déplacements. Pour ce faire, il existe un grand nombre d'itinéraires possibles, mais une seule et même avenue doit toujours être utilisée. Laquelle des 46 avenues est l'avenue essentielle ?

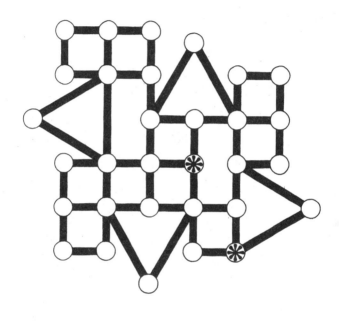

Réponse à la page 122

38.

Si sept six s'unissent

Votre tâche est de subdiviser cette figure en six carrés permettant à chacune des flèches de comptabiliser le même nombre de six. Lorsqu'une flèche pointe un carré, tous les six dans ce carré sont comptés.

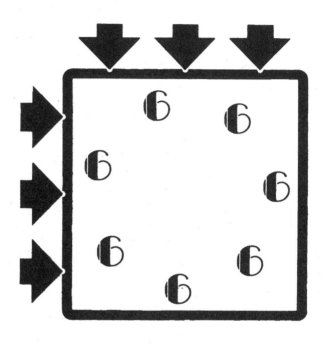

Réponse à la page 123

39.

Le cordage unique

Cette raquette de tennis est cordée avec un cordage unique. Tracez son parcours en commençant et en finissant par les flèches au bas de la raquette et en suivant l'ordre indiqué par les chiffres de 1 à 5. Vous devez sortir et entrer par des œillets adjacents. Certains œillets peuvent être utilisés plus d'une fois. Le premier mouvement est donné.

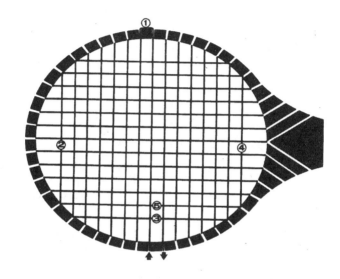

Réponse à la page 123

40.

Inflation

Les chiffres de 1 à 20 apparaissent sur les cinq ballons, 4 chiffres sur chacun d'eux. Cependant, deux chiffres seulement sont visibles. Trouvez les chiffres manquants sur chacun des ballons de façon que le total sur chacun des cinq ballons soit le même.

Indice : Le total des chiffres sur tous les ballons est de 42.

Réponse à la page 123

41.

Jungle d'asphalte

Étudiez attentivement cette figure incomplète de routes sinueuses et qui s'entrecroisent. Remarquez aussi les 30 bouches d'égout stratégiquement positionnées dans les portions complètes des routes. Vous devez compléter le dessin des routes en insérant 4 tuiles avec des routes entrecroisées et 4 autres tuiles avec des routes courbes. Les 6 routes différentes débutent dans un cul-de-sac en haut et se terminent en bas en croisant 5 bouches d'égout chacune.

Indice : Les points d'arrivée ne sont pas vis-à-vis les points de départ.

Réponse à la page 123

42.

Rencontre de plusieurs types

Six dames entrent dans le parc en empruntant la direction nord-sud ou sud-nord. Elles rencontreront éventuellement un, deux, trois, quatre, cinq ou six types qui entrent dans le sens est-ouest ou ouest-est. Les chiffres à l'intérieur des cercles déterminent le nombre de personnes du sexe opposé rencontrées. Vous devez donc allonger les traits de chaque symbole afin qu'ils croisent le nombre de traits appropriés.

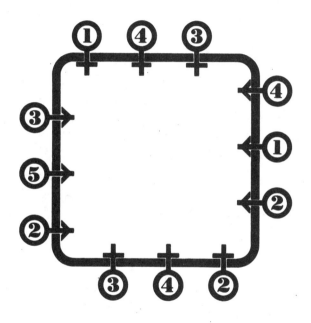

Réponse à la page 124

43.

Être taillé en pièces

Dans ce casse-tête tortueux, vous devez partir du point « A » jusqu'au point « B » en suivant le contour noir formant les pièces et en contournant les six points noirs. Vous ne pouvez pas passer deux fois à la même place.

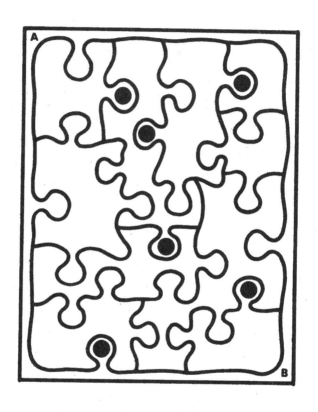

Réponse à la page 124

44.

Rangées triangulaires

Chaque triangle contient 10 boules de même valeur : un triangle de 1, un autre de 2 et un dernier rempli de 3. La disposition des trois triangles permet de former quatre ligne totalisant 15 points chacune. Votre tâche est de déplacer les triangles afin de former cinq rangées (au lieu de quatre) totalisant 12 points chacune.

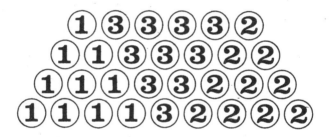

Réponse à la page 124

45.

Mont Mot

Chaque carré est un jeu différent. Pour chacun d'eux, vous devez trouver une seule lettre de l'alphabet et la placer dans chacun des mots afin de former trois mots nouveaux. Le titre est un exemple du jeu. Ajoutez un « N » à MOT afin de former MONT. Attention aux accents.

RÂLER **TOUS** **MOUETTE**	**MODÉRÉ** **CÈDRE** **HACHE**
FAILLE **PRISE** **RÉGIE**	**BÉTON** **AGILE** **GÉANT**
RÉEL **PIMENT** **BORNÉ**	**PLAIRE** **POTIN** **SIGNER**

Réponse à la page 124

46.

Problème de poids

Vous devez d'abord éliminer un des poids. Maintenant, formez deux groupes de trois poids, chaque groupe totalisant exactement le même... poids.

Indice : Éliminez le poids 32.

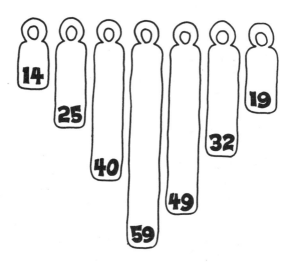

Réponse à la page 125

47.

Rencontre marécageuse

Deux explorateurs, un partant du point « A » et l'autre, du point « B », doivent se rencontrer quelque part dans le marécage. Chaque explorateur doit croiser sept îlots dans son périple. Aucun passage ou îlot ne peut être traversé deux fois. Pouvez-vous déterminer leur point de rencontre ?

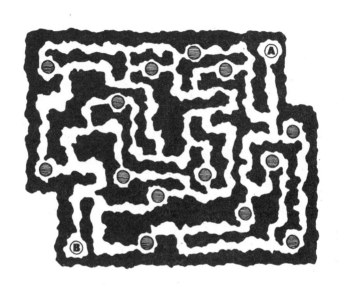

Réponse à la page 125

48.

Un trajet de tirets

Le trajet à effectuer va d'une étoile à l'autre et il doit croiser exactement 25 tirets. Vous ne pouvez pas passer deux fois par le même endroit.

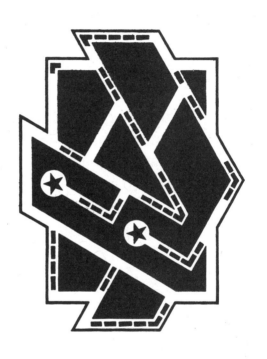

Réponse à la page 125

49.

Trivalves triviales

Chaque jonction en « Y » possède trois valves. Vous devez ouvrir le minimum de valves afin de permettre à l'eau de se rendre de la bouche d'incendie jusqu'à l'embout. Toutes les valves sont présentement fermées.

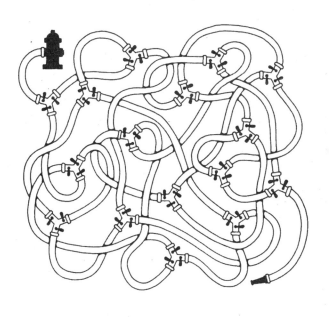

Réponse à la page 125

50.

Sens de la direction

Dans ce jeu, le carré sur lequel vous êtes détermine le sens de votre prochaine direction. Vous pouvez avancer en empruntant le nombre de carrés que vous désirez, horizontalement ou verticalement, selon les flèches. Par exemple, votre premier déplacement se fera vers le bas jusqu'à un des cinq carrés. Le but est de trouver le circuit qui vous mènera à l'arrivée.

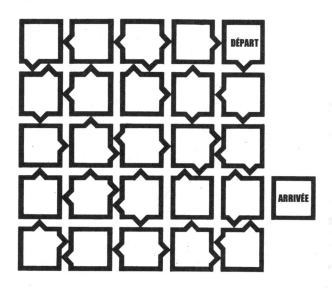

Réponse à la page 126

51.

Total pyramidal

Placez les chiffres de 1 à 9 dans les cercles vides autour de cette pyramide de façon que :

1- le total de chacun des six passages soit le même; et que

2- Chacun des côtés de la pyramide totalise la même somme.

Indice : Chacun des passages totalise 13 et chacun des côtés totalise 26.

Réponse à la page 126

52.

Langue fourchue

Ce problème vous offre deux défis :

1- Sans tenir compte des chemins, trouvez le maximum de mots de cinq lettres, les lettres ne servant qu'une seule fois.

2- À partir du point noir, suivez les chemins et tracez une ligne continue afin de former le maximum de mots de cinq lettres. Vous ne pouvez pas passer deux fois par le même chemin ou la même lettre.

Indice : 1 – 6 mots   2 – 4 mots

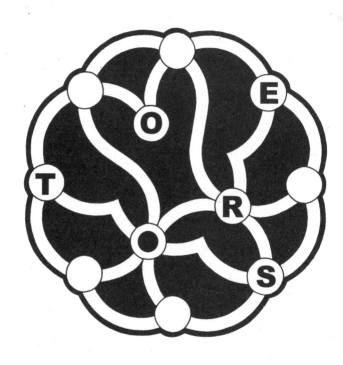

Réponse à la page 126

53.

Sauter aux conclusions

Dans ce damier particulier, la distance entre deux jetons peut être calculée en comptant le nombre de jetons blancs permettant d'aller d'un jeton gris à l'autre. Numérotez les jetons gris de 1 à 9 de façon que la distance entre les jetons corresponde aux indices suivants :

1 et 7 = 2	5 et 9 = 6	1 et 3 = 10
3 et 6 = 3	2 et 8 = 7	7 et 9 = 11
2 et 9 = 4	5 et 7 = 8	2 et 6 = 12
4 et 8 = 5	2 et 4 = 9	6 et 9 = 13

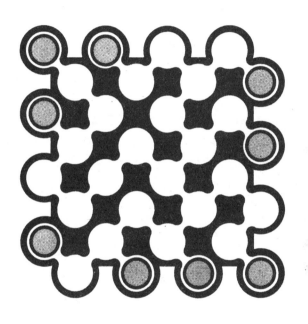

Réponse à la page 126

54.

Trois dimensions au total

Chaque cercle de cette figure contient une lettre. Chacune des dix lettres remplace un chiffre de 1 à 10. Substituer le bon chiffre pour chacune des lettres de façon à ce que :

1- chaque triangle totalise 15

2- chacune des 5 lignes horizontales de six cercles totalise 30

3- chacune des 6 lignes diagonales de cinq cercles totalise 25.

Indice : Le I = 8 et le G = 2

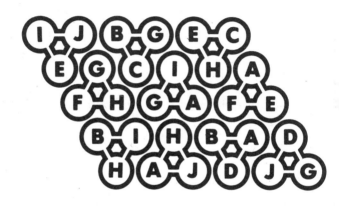

Réponse à la page 127

55.

Carré fascinant

Divisez la surface blanche de cette figure en huit morceaux différents qui, une fois réaménagés, formeront un carré parfait.

(Attention : ce jeu est difficile ! Vous pouvez décider d'aller voir la solution maintenant et personne ne vous en tiendra rigueur. Vous éviterez seulement des frustrations devant cette solution exceptionnelle et fascinante.)

Réponse à la page 127

N° 1 Travail au noir

N° 2 À travers les cavernes

N° 3 Étoiles magiques

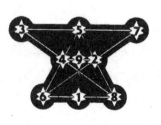

Une des quatre solutions. Images miroirs non incluses.

N° 4 Mélange de rectangles

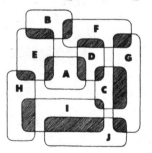

Nº 5 Mêlée de mots

Nº 6 Dédale de soleils

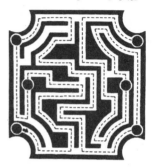

Nº 7 Réseau d'autoroute

Nº 8 Cartes de pointage

N° 9 Suivez la flèche

N° 10 Décision clef

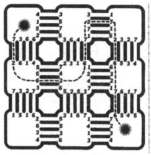

Les clefs nécessaires sont : 2, 6, 7.

N° 11 Restes égaux

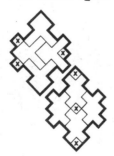

N° 12 Langue fourchue

1) éditeur, érudite, étudier, réduite, tiédeur

2) éditeur, érudite

N° 13 Étoiles en vedette

12 étoiles doivent être ajoutées au 48 étoiles pour un total de 60 étoiles. Il faut former cinq rangées de 12 étoiles.

SOLUTIONS

N° 14 Code indéchiffrable

Chaque lettre peut être décodée en comptant selon sa position dans le mot. Par exemple, si le « P » est en cinquième place dans un mot, on compte cinq lettres plus loin : Q, R, S, T, U. La phrase est donc : Les experts disent qu'il est impossible de percer ce code.

N° 15 Ampoules mathématiques

N° 16 Volumes cachotiers

En tournant le volume avec le « W », celui-ci devient un « M ». La solution est alors plus facile à voir : MYOPIE.

N° 17 Un « R » étrange

SOLUTIONS

N° 18 Mots emmêlés

```
D A T E N I T N E M
B A T M I R E C C E
R E E A S G E S A L
I U G N E N P A N C
C O T O R A A N T A
E R G M M E P A N L
N I C O R F A E A O
A T E P A E Y N A U
D R S I I S E F N P
E O N O B M A R A B
```

N° 19 Œufs à la « coq »

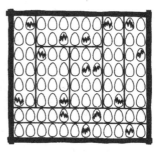

N° 20 L' « Enclôturé »

N° 21 La Roue Demi-Tour

Nº 22 Diviser et organiser

Les mots sont : Vénus, Mars, Jupiter, Mercure.

Nº 23 Crochets mobiles

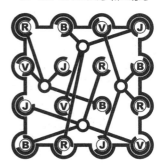

Nº 24 La dépression 19-30

X et I sont des chiffres romains.

Nº 25 Deuxième niveau

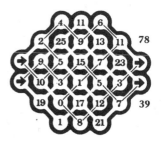

SOLUTIONS

N° 26 Hé ! Allume !

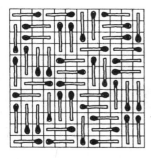

N° 27 Fourmidable

N° 28 Allez, au Bamboulot

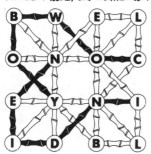

Les deux mots sont :
COWBOY et INDIEN

N° 29 Points égaux

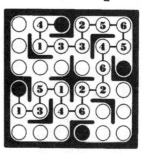

SOLUTIONS

N° 30 Visite guidée

N° 31 Blanc et noir

N° 32 Carré parfait

N° 33 Pot à lettres

Nº 34 Mêlée de mots

Nº 35 Anneaux deux

Nº 36 De haut en bas

Nº 37 L'avenue essentielle

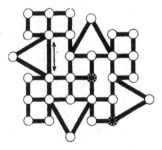

N° 38 Si sept six s'unissent

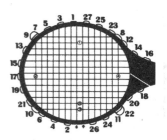

N° 39 Le cordage unique

N° 40 Inflation

Les chiffres sur les ballons sont les suivants :

1.	7	12	4	19
2.	16	8	3	15
3.	13	1	10	18
4.	5	20	6	11
5.	14	9	17	2

N° 41 Jungle d'asphalte

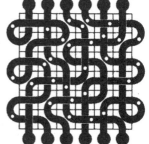

Nº 42 Rencontre de plusieurs types

Nº 43 Être taillé en pièces

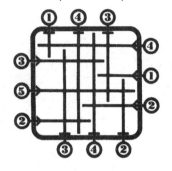

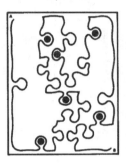

Nº 44 Rangées triangulaires

③③③③
①③③③②
①①③③②②
①①①③②②②
①①①①②②②②

Nº 45 Mont Mot

jeu 1 : rafler   tofus   moufette
jeu 2 : moderne   cendre   hanche
jeu 3 : famille   prisme   régime
jeu 4 : breton   argile   gérant
jeu 5 : regel   pigment   borgne
jeu 6 : polaire   potion   soigner

SOLUTIONS

N° 46 Problème de poids

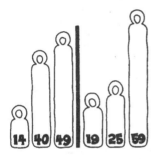

N° 47 Rencontre marécageuse

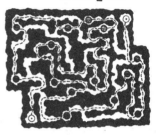

N° 48 Un trajet de tirets

N° 49 Trivalves triviales

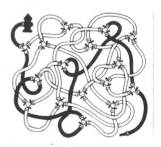

N° 50 Sens de la direction

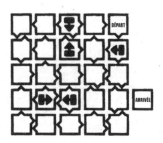

N° 51 Total pyramidal

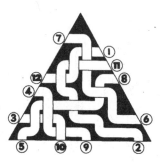

N° 52 Langue fourchue

1) resto, rotes, sorte, store, tores, torse

2) resto, store, tores, torse

N° 53 Sauter aux conclusions

SOLUTIONS

N° 54 Trois dimensions au total

N° 55 Carré Fascinant

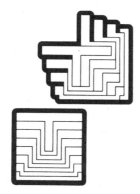

À PROPOS DE L'AUTEUR

Steve Ryan est assurément le plus grand maître des casse-têtes. Reconnu comme l'un des créateurs de jeux les plus prolifiques du monde, il a plus de 12 000 jeux de Q.I. à son actif.

Ce virtuose des casse-têtes invente des jeux depuis son enfance. Au début de sa carrière, il a trouvé un marché pour ses créations à *Copley News Service*, où ses *Puzzles & Posers* et *Zig-Zag* ont été publiés pendant plus de vingt-cinq ans. Le génie créatif de Ryan l'a aussi catapulté dans le monde télévisuel, où il a cocréé et développé le jeu *Blockbusters*. Ryan a aussi écrit pour *Password Plus*, *Trivia Trap*, *Body Language* et *Catch Phrase* et il a créé tous les rébus de *Classic Concentration*.

Il est l'auteur de plus de vingt livres de jeux et a mis à profit ses talents en art, design et mathématiques pour se bâtir non pas une carrière en architecture, mais un empire de gymnastique mentale.